MI JARDIN

Tomo 4

Pimpones de Color

Regalos y fechas especiales

Zamora

Editor
Gustavo de Elorza Martínez

Dirección
Patricia de Elorza Ajamil
Psicóloga

Autoras
Investigación y elaboración de técnicas:
Elsa Rodríguez
Preescolar
María Constanza Pérez
Psicóloga
Rimas:
Martha Lucía Guerra

Coordinación editorial
Fabio Rodríguez P

Corrección de textos
Mario Méndez

Fotografía
Edna Galvis

Diseño editorial
Marcela Cardona
Fabio Rodríguez

Diseño de carátulas
Volney Tovar

Preprensa digital
Fotolito Colombia Ltda.

© **ZAMORA EDITORES LTDA.**
Calle 35 No. 19-21
Teléfono 288 89 00
Bogotá D.C. - Colombia

Primera edición
Cuarta reimpresión
10.000 ejemplares
Año 2006

ISBN: **Obra completa**
958-677-162-8

ISBN: **Tomo 4**
Regalos y fechas especiales
958-677-166-0

Impreso en Colombia por:
Printer Colombiana S.A.
Actúa sólo como impresor.

Mi jardín
Pimpones
de color

Índice

A padres y maestros

oy día, los niños tienen fácil acceso a sofisticados juegos electrónicos o mecánicos, pero su recreación no se debe limitar a este tipo de diversiones.

Padres y maestros debemos estimular la imaginación de nuestros niños mediante la creación de juguetes, títeres, decoración para fechas especiales u objetos para regalos.

Los niños no sólo tendrán la oportunidad de darle un nuevo uso a diversas clases de material reciclable sino que además aprenderán a ser recursivos y a valorar sus propias creaciones.

Indirectamente, estaremos contribuyendo a crear nuevos valores en nuestros niños, inculcando la importancia de no depender del dinero para obsequiarle algo a un ser querido. El niño experimentará cómo él mismo puede satisfacer muchas de sus necesidades con un poco de creatividad y dando nuevo uso a los objetos que se tienen a la mano.

En este libro encontrarás algunas ideas logradas a través de la experiencia cotidiana con los niños, sobre cómo utilizar el material reciclable en combinación con otros de uso doméstico para elaborar una amplia gama de objetos.

Esperamos que los trabajos presentados los estimulen y se constituyan en un reto para crear nuevas posibilidades manuales.

Sugerencias

Es importante que siempre haya un adulto acompañando al niño en la realización de sus manualidades.

Los materiales deben estar listos antes de empezar la elaboración de un trabajo.

Tabla de colores

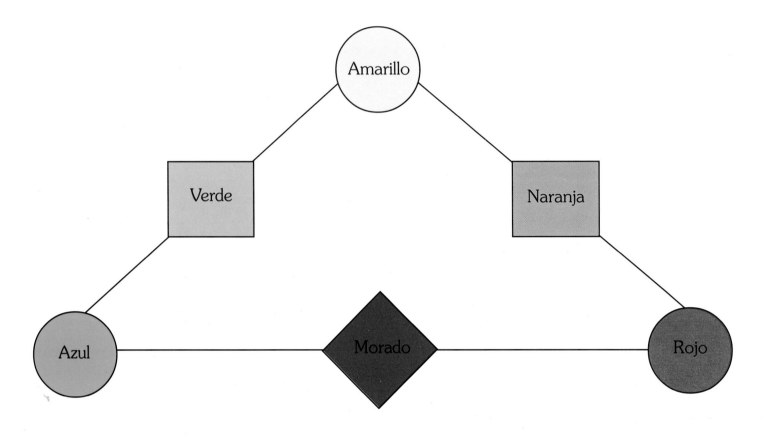

Otros colores

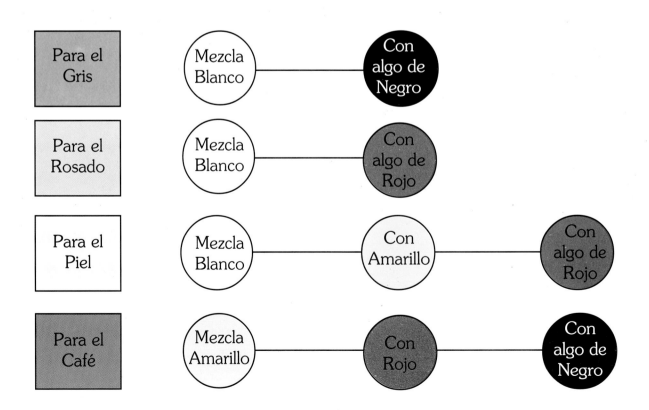

Juguetes de caja

Materiales

Cajas pequeñas de leche, jugo, cereales
2 tubos de papel mediano
Papel aluminio
Papel silueta de colores
Pintura de todos los colores
Colores
Cartulina roja
Tijeras o bisturí
Pincel grueso y delgado
Pegante
Grapadora

Cacatúa, gato, robot, bruja, abeja

9

Cacatúa

Pinta el exterior de la caja y déjala secar.

Recorta la caja por la mitad, en diagonal.

Pinta el interior de una de las mitades y déjala secar.

Coloca una mitad boca arriba y la otra mitad boca abajo, y pega los extremos de cada una.

Abeja

Gato

1. Recorta la caja por la mitad.

2. Pinta el exterior de la caja con franjas de color naranja y negro.

3. Delinea y recorta la cara, las alas, y las antenas en cartulina de color naranja

4. Pinta los ojos, la nariz y la boca.

1. Recorta uno de los extremos de la caja y píntale la parte externa.

2. Dibuja los ojos, la nariz, el pelo y la cola sobre el papel silueta, usando los colores que desees combinar, y pégalos en sus lugares correspondientes.

3. Con bisturí, corta el espacio correspondiente a la boca.

10

Dibuja plumas grandes y pequeñas sobre el papel silueta de diversos colores y recórtalas.

Grapa las paredes que corresponden a la cola.

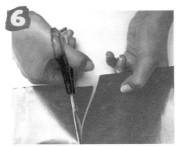

Dobla un pedazo de cartulina roja, dibuja en triángulo y recórtalo para formar el pico.

Pega las plumas en la cola, las alas y el copete.

Aplica las pinturas en los ojos y la nariz.

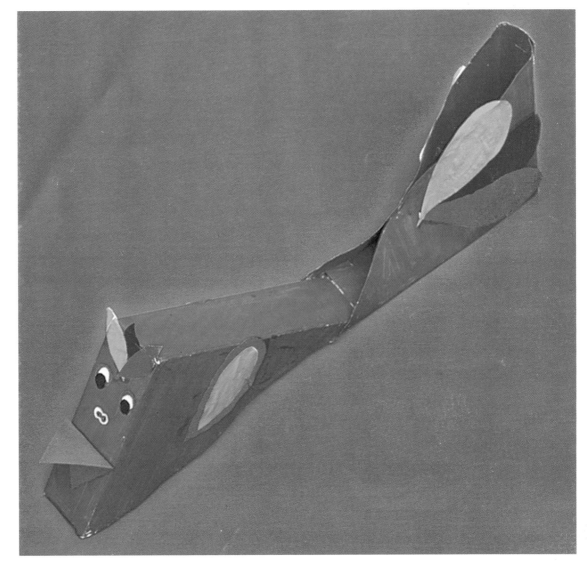

Robot

1. Recorta las pestañas de la caja para poder manipular los tubos fácilmente.

2. Pega los tubos de papel higiénico a lado y lado de la caja, simulando las orejas.

3. Cubre la superficie de la caja y los tubos con pegante, y adhiere el papel aluminio.

4. Dibuja sobre el papel silueta las figuras que forman la cara.

5. Recórtalas y pégalas.

Bruja

1. Recorta unos de los extremos de la caja.

2. Pinta la caja de color naranja.

3. Corta una tira de cartulina para colocar como pelo alrededor de la cabeza. Píntala, córtale los flecos y pégala.

4. Para el gorro, elabora un círculo de 5 cm en una cartulina, hazle una incisión desde el centro hacia los lados, haciendo un cono, y pégaselo en la cabeza.

5. Dibuja el contorno de los ojos y la boca sobre el papel silueta, recórtalos y pégalos.

6. Elabora la nariz con una copa de caja de huevos.

12

Juguetes en hueveras

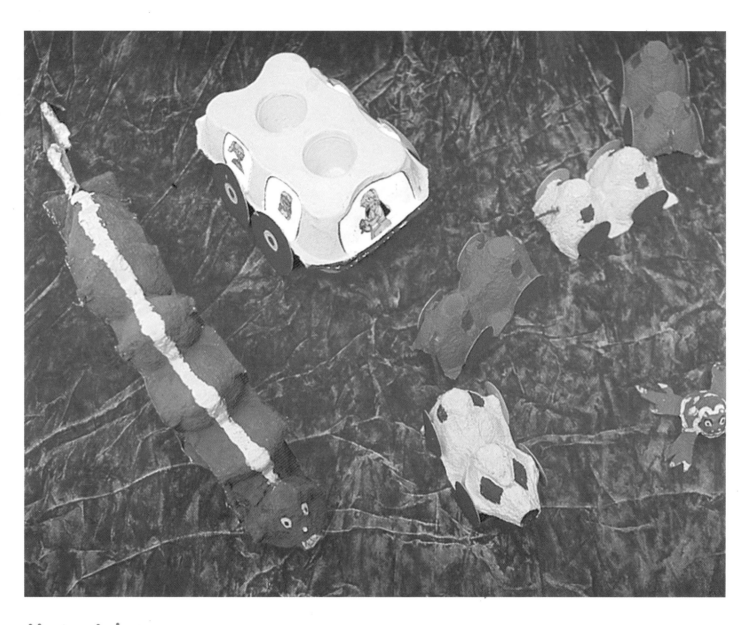

Materiales

Hueveras o caja de portahuevos de cartón
Pinturas de todos los colores
Revistas
Lanas
Pinceles
Tijeras
Pegante

Dinosaurio, bus escolar, tren

Dinosaurio

Corta dos filas de hueveras de la bandeja.

Corta la punta de una de las filas para formar la cabeza del dinosaurio.

Corta una pequeña tira de uno de los bordes de la bandeja para elaborar la cola del dinosaurio.

Pinta las piezas cortadas con vinilo verde.

1. Recorta pares de copas de la bandeja porta huevos para los vagones.

2. Pinta las piezas con colores que puedas intercalar. Deja secar y pinta las ventanas.

3. Pinta una cartulina de color negro. Recorta los círculos de las llantas y pégalas.

4. Une los vagones, pasando una tira de lana entre ellos.

Tren

14

Pinta una raya de color amarillo en la tira más larga.
Pinta la cara en la copa destinada para la cabeza en la segunda tira.

Pega la tira pintada con la raya amarilla, formando un arco sobre la que tiene la cabeza.

Pega el recorte destinado para la cola del dinosaurio.

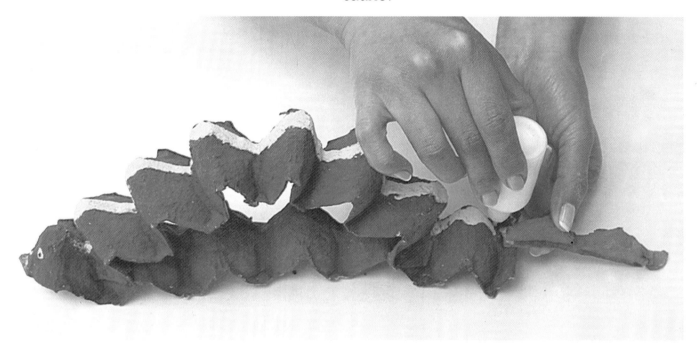

Bus escolar

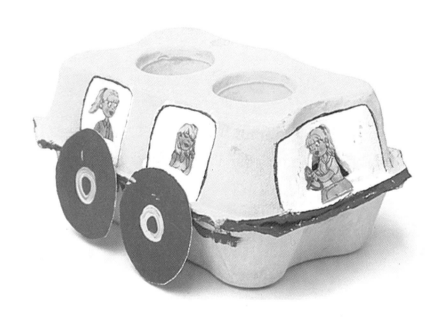

1. Pega las mitades de la caja para armar la estructura del bus.

2. Pinta el bus de color amarillo y las ventanas de color blanco.

3. Recorta y pega las siluetas de los pasajeros.

4. Recorta y pega las llantas.

15

Juguetes
con platos de icopor

Consejo

Para que la pintura se adhiera con facilidad al icopor, es indispensable mezclarla con pegante.

Materiales

Platos de icopor
Cartulina
Pinturas
Pegante
Pinceles
Tijeras o bisturí
Pitillo
Cinta de pegar
Punzón

Avión, barco, sapo, tortuga

16

Avión

1 Corta los dos bordes de dos bandejas.

2 Con otra bandeja, recorta las alas y la cola del avión.

3 Abre una ranura con el bisturí en las bases de las bandejas y ubica las alas recortadas.

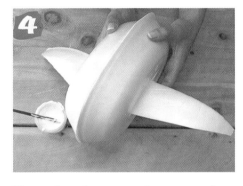

4 Pega las dos mitades para formar el cuerpo del avión.

5 Pinta la superficie de tu avión.

Pinta las ventanas y decora.

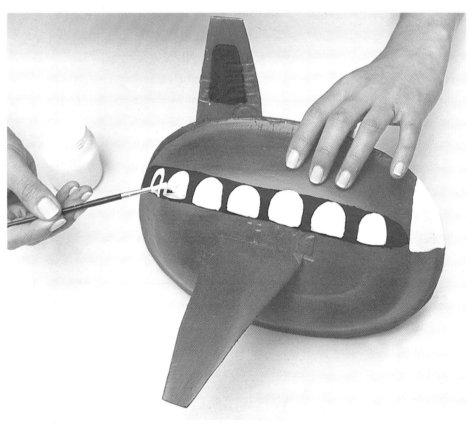

Barco

1. Recorta el borde de la bandeja.

2. Mezcla pegante con los vinilos y pinta la mitad de color verde y la otra mitad de color rosado. Deja secar.

3. Corta dos triángulos de igual tamaño, píntalos con los mismos colores que el barco y pégalos al pitillo pintado.

4. Con un punzón, abre un hueco en el centro de la bandeja para introducir el pitillo.

5. Coloca pegante en los puntos de contacto para fijar la vela al barco.

Sapo

1. Corta el borde del plato y realiza un nuevo corte por la mitad.

2. Une las dos mitades por la parte posterior con cinta de enmascarar.

3. Mezcla el vinilo amarillo con pegante y pinta la superficie del plato.

4. Deja secar y pinta las manchas del cuerpo, la boca y los ojos.

5. Dibuja sobre una cartulina las patas del sapo, y píntalas con vinilo amarillo y verde.

6. Pégalas en la parte inferior.

Tortuga

1 Corta el borde del plato.

2. Pinta el plato con una base verde, deja secar y pinta los círculos del caparazón.

3. Dibuja las patas y la cabeza sobre una cartulina. Píntalas y pégalas.

Juguetes con bajalenguas

Materiales

- Bajalenguas
- Pinturas
- Pinceles y marcadores negros de punta delgada
- Cartulina de colores
- Tijeras
- Pegante

Personajes de un cuento

Pinta los bajalenguas con las bases de color según el diseño.

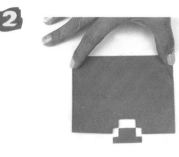

Elabora el sombrero, según el personaje, delineándolo y recortándolo en una cartulina.

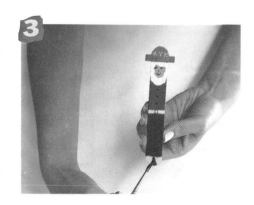

Pinta el resto del vestuario y delinea con marcador las partes finas.

Caballito de madera

A l galope, al galope
mi caballo va.
Al galope, al galope
pronto llegará

Materiales

1   media de lana
1   palo de escoba
     Recortes de espuma
     Cartulina
     Papel gamuza color café
     Botones
     Lana
     Pegante
     Aguja de tejer

1

Rellena la media con los recortes de espuma.

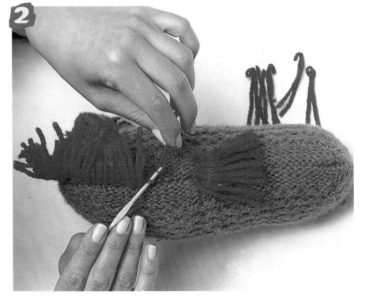

2

Teje una hilera de lanas en la parte superior para simular la crin del caballo.

Pega los ojos, uno a cada lado.

3

Con una tira de lana de la misma usada para la crin, realiza dos pliegues simulando la boca.

4

Pega la nariz, colocando dos botones muy cerca, simulando los agujeros.

5

Sobre el papel de gamuza, diseña las orejas y recórtalas.

6

Pega las orejas a cada lado e introduce un palo de escoba en la cabeza para formar el cuerpo del caballito.

7

21

Muñeco de bomba

Delinea y pinta los detalles de la cara sobre la bomba.

Bomba o globo de goma
Pintura negra y roja
Pincel
Lana
Pegante
Tijeras

Corta las tiras de lana para formar la peluca del títere.

Amárralas en el centro y pégalas sobre la bomba.

22

Materiales

Vasos de icopor
Algodón
Pegante
Cartulina
Pinturas
Bisturí
Pinceles

Pollito,
vaca,
ratón,
pato

Pollito

Delinea sobre el vaso la figura del pollito.

Pega el algodón sobre el contorno de la cabeza y dentro del resto del cuerpo.

Pinta el vaso con color amarillo. Deja secar.

Vaca

1. Pinta de blanco el vaso, deja secar y pinta las manchas negras.

2. Delinea los ojos, la boca y la nariz, y píntalas.

3. Corta de otro vaso la silueta de los cuernos de una vaca.

4. Con el bisturí, abre dos ranuras en cada lado del vaso, en la parte superior, para que puedas pegarlos.

5. En la base del vaso, abre dos agujeros para meter tus dedos.

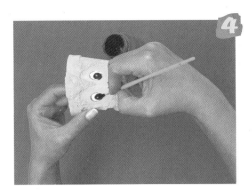

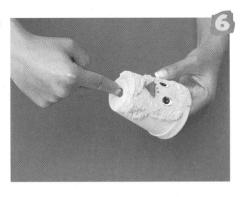

Delinea los ojos y la nariz, píntalos.

Realiza el pico, cortando un rombo sobre la cartulina, dóblalo por la y pégalo en el lugar donde va el pico.

En la base del vaso, abre dos agujeros del tamaño de tus dedos para que puedas manejar el títere de vaso.

Pato

1. Pinta de color negro la superficie del vaso.

2. Delinea con cartulina la silueta del pato.

3. Píntala con la base amarilla, añade los ojos y la nariz, y mezclando ondas amarillas y naranjas pinta las plumas.

4. Corta los agujeros para meter los dedos.

Ratón

1. Pinta de negro la superficie del vaso.

2. Dibuja la silueta del ratón sobre la cartulina y píntala.

3. Abre los huecos del vaso para meter los dedos.

Títeres de plato

Materiales

Platos de icopor
Pinturas
Pegante
Tijeras
Grapadora
Pinceles
Palo de paleta

Conejo

Pinta la superficie del plato y deja secar.

Píntala de gris.

Haz una plantilla con la cara del conejo y pásala al plato.

Utiliza otro plato de icopor para delinear y recortar las orejas.

Espantapájaros

1. Mezcla el vinilo color piel con un poco de pegante y pinta la superficie del plato, dejando secar.

2. Recorta el borde de otro plato y saca tiras de diferentes tamaños para formar pelo.

3. Cóselas o pégalas al plato con una grapadora.

4. Pinta el resto de la cara.

5. Pega el palo de paleta.

Búho

el contorno de la cara, los ojos y el pico.

1. Mezcla la plasticola color piel y pinta la superficie.

2. Delinea en el plato

3. Píntalos.

4. Pega el palo de paleta para sostener tu títere.

Píntalas de color gris.

Pégalas en la parte superior del plato.

Termina de pintar los ojos, la nariz, la boca y los dientes.

En la parte inferior del plato, pega un palo para sostener el títere.

Títeres de talego

Materiales

Talegos de papel
Cartulina
Tijeras
Pinturas de colores
pinceles
Papel gamuza
Delineador negro

Elefante

Pinta de color gris el talego o la bolsa.

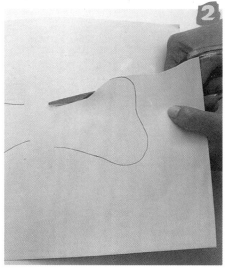

Delinea y recorta las orejas en cartulina.

Pinta la cara y pega las orejas del elefante.

28

Pollito

Cocodrilo

1. Pinta de color verde el talego.

2. En la mitad del talego, haz una abertura en forma de triángulo.

3. Delinea los ojos y los dientes.

4. Píntalos.

Rey

1. Pinta de color amarillo el talego.

2. Delinea y recorta las siluetas de la cresta, el pico, las alas y las patas.

3. Fórralas con el papel gamuza y pégalas en el lugar correspondiente.

4. Delinea los ojos y píntalos de color blanco y negro.

1. Pinta de color negro el talego.

2. En una cartulina, delinea y recorta la silueta de la corona.

3. Delinea y recorta 6 corazones de tres cm cada uno, y 2 de dos cm.

4. Fórralos con gamuza o píntalos de rojo.

5. Pega las figuras decoradas en el lugar correspondiente.

Títeres de tubo

Materiales

Tubos de papel higiénico
Cartón paja
Papel silueta
Tela de colores
Lana y recortes de lana
Pinturas y crayolas
Tijeras
Pegante
Pinceles y marcadores
Palos para pinchos

Jirafa, perro, gusano, señora, búho

Sobre el cartón paja, dibuja y recorta un arco grande para las patas delanteras y otro para las patas traseras.

Diseña la cola y la cabeza.

Pega las figuras en el lugar indicado.

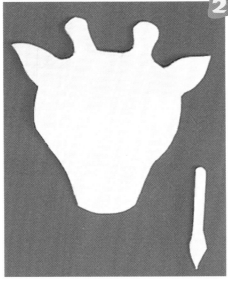

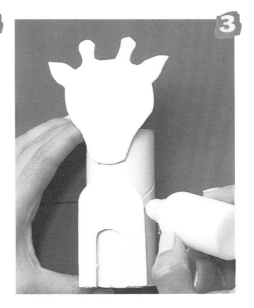

Pinta de color amarillo la jirafa.

Realiza unas manchas de color café sobre todo el cuerpo.

Delinea la cara.

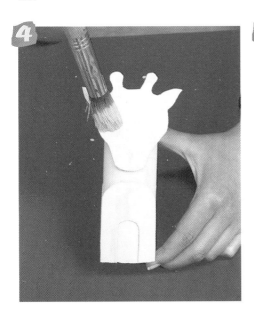

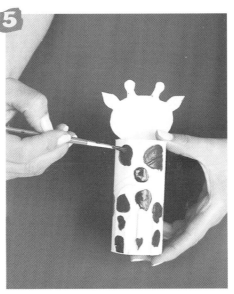

Gusano

1. Forra los tubos con telas de colores.

2. En una cartulina, dibuja dos círculos y pégalos en cada uno de los extremos de 2 tubos, los cuales serán la cola y la cabeza.

3. Píntalos en los tubos, introduciendo la lana por la mitad y anudada en la cabeza y en la cola.

4. Pinta la cara del gusano, corta en papel silueta las antenas y pégalas.

5. Abre un hueco debajo de cada uno de los tubos de los extremos y ponle un palo para manejarlos.

Perro

1. Corta y pega un rectángulo de papel silueta color curuba en el tubo.

2. Sobre el papel naranja, dibuja y recorta la silueta de las orejas y las patas.

3. En el papel blanco recorta dos círculos pequeños para los ojos, uno grande para la nariz, y la lengua con el papel rosado.

4. Pega cada parte en su lugar.

5. Con el vinilo negro, pinta las pupilas y el centro de la nariz.

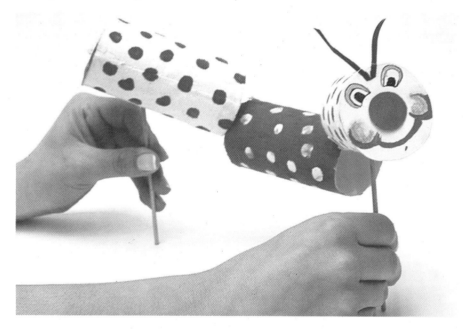

Búho

1. Envuelve el tubo con el pedazo de tejido.

2. Recorta en cartulina las partes de la cara y las alas, y píntalas con crayolas.

Señora

1. Pinta la señora con la base de color piel.

2. Delinea y pinta la cara con marcadores.

3. Decora con recortes de lana y lentejuelas.

Títeres de guantes de caucho

Materiales

- Guante de caucho
- Delineador negro
- Vinilos
- Tijeras
- Pincel

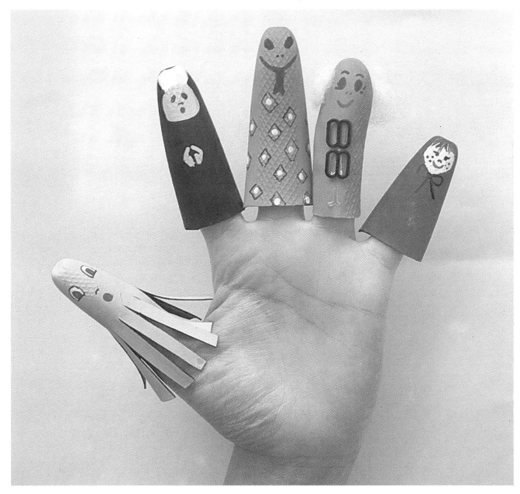

Recorta los dedos del guante de caucho. Utiliza el delineador para dibujar los detalles.

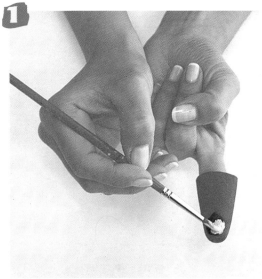

Delinea y pinta la figura deseada.

Títeres
de dedo en cartulina

Materiales

Cartulina
Pinturas
Tijeras
Papel contact

Señora,
perro,
niña,
rey

34

Señora

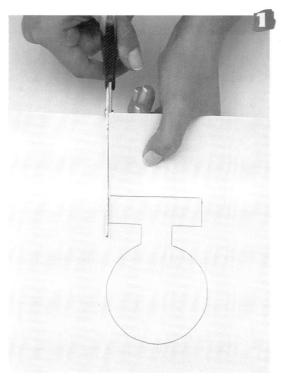

Delinea la silueta deseada sobre la cartulina, y recórtala.

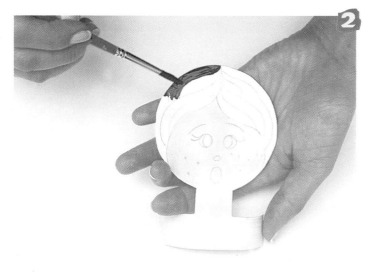

Con las pinturas, dibuja la figura deseada.

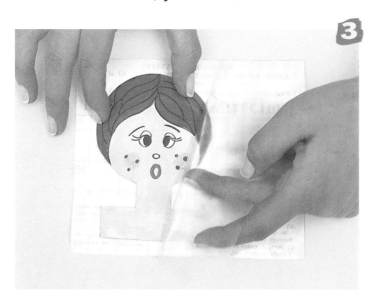

Cubre la silueta con el papel contact.

Ajusta el títere, colocando las tiras alrededor de tu dedo y asegurándolo con cinta adhesiva.

Títere
de mano en cartulina

Materiales

Cartulina
Lápiz
Pinturas
Tijeras
Pegante
Palo de paletas o
bajalenguas

Fantasma,
pez,
alga,
pulpo

Fantasma

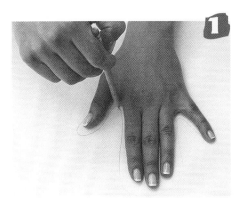

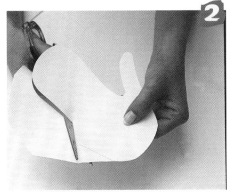

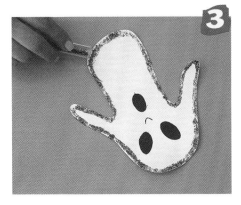

Utiliza tu mano para delinear la figura sobre la cartulina.

Recorta la silueta.

Pinta la figura deseada y decórala.

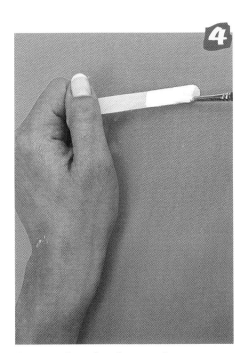

Pinta el palo de madera.

Pégale el palo al títere.

Títeres
con ganchos de ropa

Materiales

Ganchos de ropa
Cartulina
Vinilos
Tijeras
Pegante

Payaso,
cocodrilo,
pez,
niño

En una cartulina, delinea la silueta de la figura que desees.

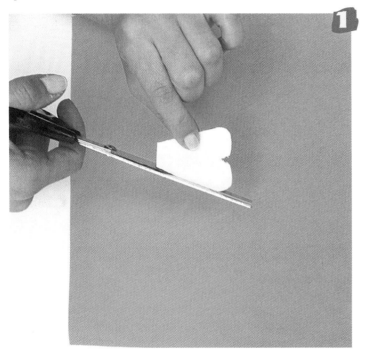

Con las tijeras, recorta el borde para formar el cuerpo y la cabeza del payaso.

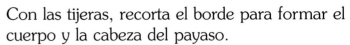

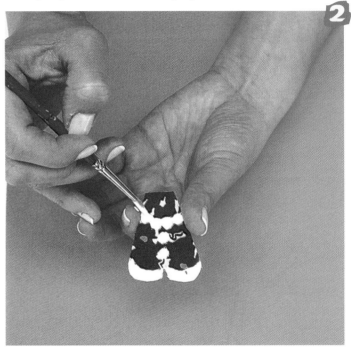

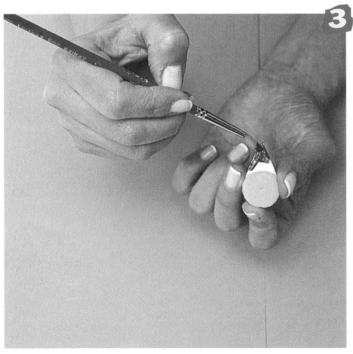

Píntalos con un pincel delgado.

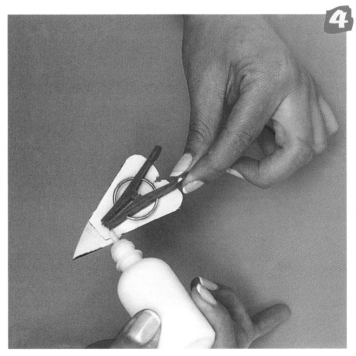

Pégalo al gancho por la parte trasera.

Títeres
con cajas portahuevos

Vaca, marrano, león, conejo

Materiales

Caja portahuevos
Vinilos
Tijeras
Pegante

40

Vaca

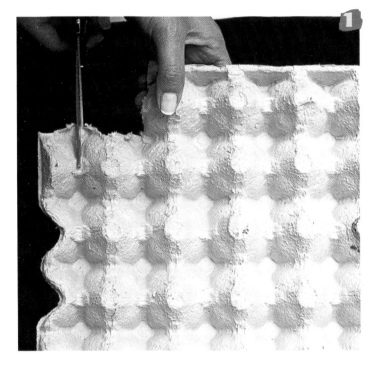

De la caja porta-huevos, recorta una copa para cada títere.

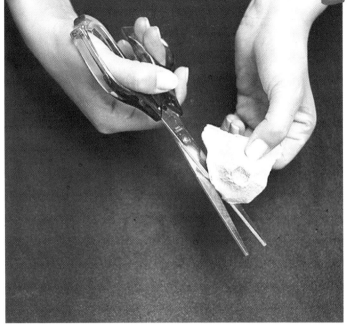

Recorta las orejas y el contorno de la cara.

Pinta el títere con la base de color y el resto de los detalles y utiliza un delineador para realzar las facciones.

Abre un agujero del tamaño de tu dedo para manipular el títere.

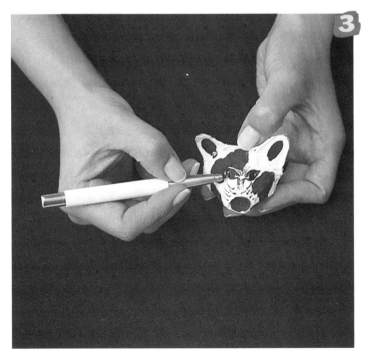

41

Títeres
con esferas de icopor

Materiales

Esferas y vasos de icopor
Pinturas de color
Cartulina negra y roja
Lana y algodón
Palo de madera
Pegante
Tijeras
Pinceles

Viejito, payaso, león.

42

Viejito

Pinta la esfera con la base de color piel

Delinea las facciones.

Pega el algodón, formando la barba.

Recorta un círculo, un rectángulo y un aro para elaborar el sombrero.

Pinta de color rosado el palo y pégalo al títere en la paste inferior.

Elabora el sombrero.

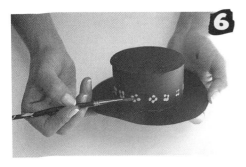

Decóralo como quieras.

Payaso

1. Pinta la esfera de icopor con una base color piel.

2. Delinea las facciones y pega los círculos de cartulina roja para formar los pómulos.

3. Pega las bolitas de algodón a los lados de la cara, y píntalas con vinilo amarillo y rojo.

4. Sobre la cabeza, pega el sombrero de lana decorado con las bolitas de algodón.

5. Pinta el palo de madera de color piel y pégalo en la parte inferior de la esfera.

León

1. Recorta el borde de dos vasos de icopor y realiza nuevos cortes, formando flecos.

2. Une las tiras con un gancho de grapadora, formando un círculo, y pégalas alrededor de la esfera para formar la melena.

3. Pega la esfera al vaso de icopor y pinta todo con base de color amarillo.

4. Delinea las facciones del león.

5. Pinta el palo de madera de color amarillo y pégalo en la parte inferior de la esfera.

Títeres pintados sobre la mano

Materiales

Maquillaje de diversos colores
Bola de ping pong
Vinilos
Esponjas

1. Pinta la mano con base del color predominante, utilizando una esponja.

2. Realiza los detalles con las pinturas necesarias.

3. Puedes retirar la pintura con aceite y terminar de limpiarla.

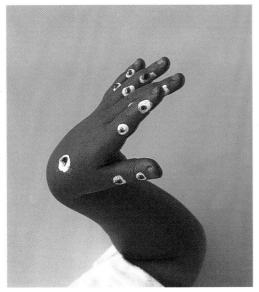

Pulpo

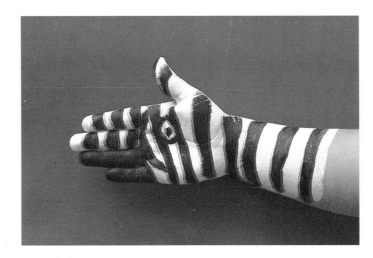

Cebra

Loro

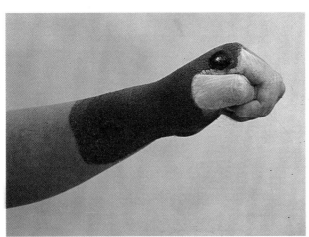

Jirafa

Regalos
con utensilios de cocina

Materiales

Cocinero

Espátula de madera
Cartulina
Tela pegante
Tijeras
Delineador

Muñeca

Colador
Lana
Tijeras
Pegante
Cartulina

Negrito

Molinillo
Esponjilla de aluminio
Pegante
Pinturas
Lentejuelas
Cinta dorada

Payaso y mujer

Cuchara de palo
Pintura
Guantes de caucho
Pegante
Pinceles
Lana

46

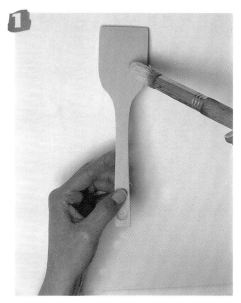

Pinta la espátula con la base de color piel.

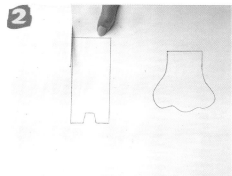

En una cartulina, corta el sombrero y el vestido del cocinero.

Pega la tela sobre la cartulina para darle una base fuerte al vestido.

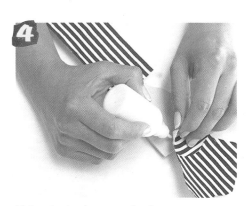

Pégala a la espátula.

Diseña y pinta con el delineador la cara.

Payaso y mujer

Negrito

1. Pinta las cucharas con la base de color piel.

2. Pinta en la paleta los detalles de la cara.

3. Utiliza los dedos de los guantes para pegarlos como sombrero, pelo y capa.

4. Utiliza siluetas de cartulina para formar el corbatín y los botones del payaso, y la lana como adorno para la capa de la mujer.

1. Pinta el molinillo con una base de color café.

2. Para formar el pelo, pega la esponjilla de aluminio en la parte superior.

3. Pinta los detalles de la cara.

4. Pega la cinta dorada como corbatín, y las lentejuelas sobre el mango del molinillo, formando los botones.

Muñeca

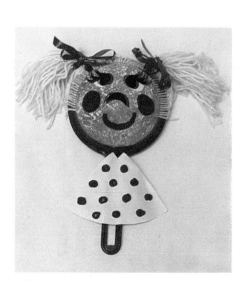

1. Cose las tiras de lana alrededor del colador.

2. Delinea, recorta y pinta las facciones de la cara.

3. Pégalas sobre el colador, simulando la cara.

4. Recorta un triángulo para formar la silueta del vestido, píntalo y pégalo.

Cuadro con palillos

Materiales

Cartulina
Palillos
Pinturas
Lápiz blanco
Regla

Pinta los palillos con los colores que vas a utilizar.

1

Sobre una cartulina, delinea el diseño con lápiz blanco.

2

Pega los palillos sobre el diseño.

Cuadros
con retazos

Materiales

Papel bond
Retazos de diferentes telas
Delineador
Cartón cartulina
Lana
Tijeras
Palillos
Pinturas
Lápiz blanco
Regla
Pegante

tejido

Materiales

Bandeja de icopor
Delineador negro
Regla
Lana
Aguja

Delinea el diseño que vas a realizar.

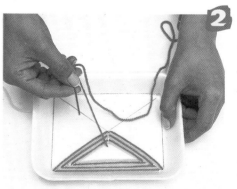

Comienza a coser cada figura, intercalando las lanas de color.

Dibuja en el papel el cuadro que vas a diseñar.

Recorta los retazos de acuerdo con las figuras.

Pégalos sobre la base de cartón y la tela que vas a utilizar como fondo.

Regalos

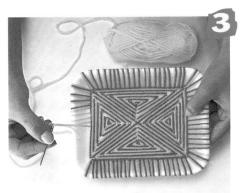

Cose el borde, siguiendo el mismo patrón de combinación de colores.

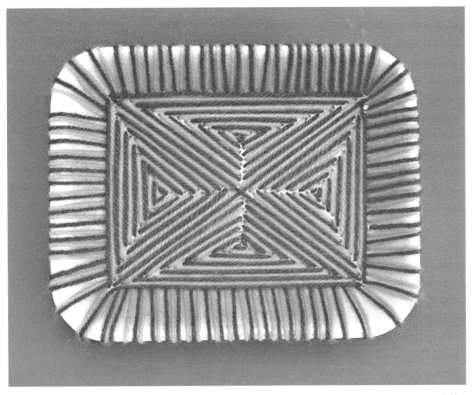

51

Portarretratos

Materiales

Cartón paja
Regla
Tijeras
Betún
Guantes de plástico

Recorta el cartón paja, la base del marco y el soporte.

Pega las partes recortadas para formar el portarretratos. Deja un extremo abierto para que puedas introducir la foto.

Colócate guantes de plástico y esparce el betún sobre el portarretratos.

Déjalo secar.

Regalos

Florero

Materiales

Copas de cajas portahuevos
Palos de madera
Plastilina
Papel crepé
Tubo de películas fotográficas
Pinturas
Pegante

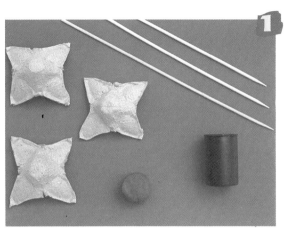

Pinta cada copa con una base de pintura.

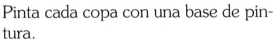

Atraviesa cada flor con el palo de madera y pega las uniones.

Pinta el centro con un color diferente.

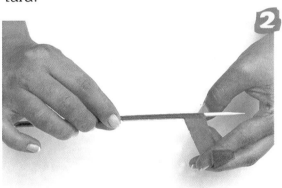

Envuelve cada palo de madera con tiras de papel crepé verde. Fíjalo con pegante.

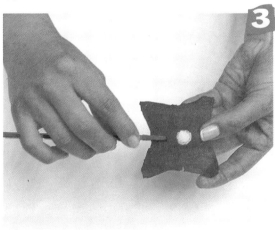

Coloca plastilina en el fondo del tubo que se va a utilizar como base y pega los palos de las flores.

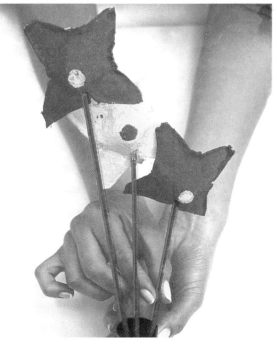

Señaladores
o separadores de lectura

Materiales

Cartón paja
Retazos de tela
Pegante
Tijeras

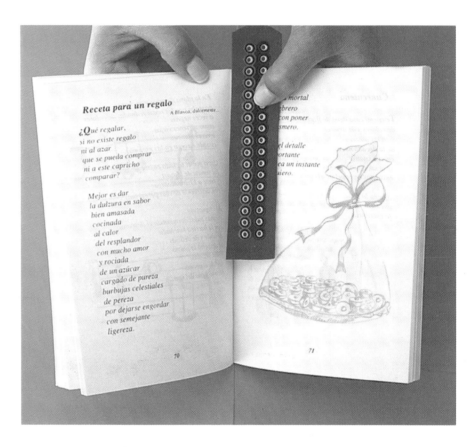

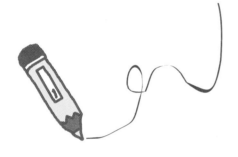

1

Delinea sobre cartón paja el modelo de separador que desees.

Utiliza uno de los retazos para formar la figura recortada. Utiliza otras telas para realizar nuevos diseños sobre la que se usó como fondo.

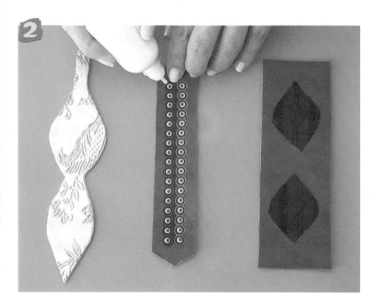

2

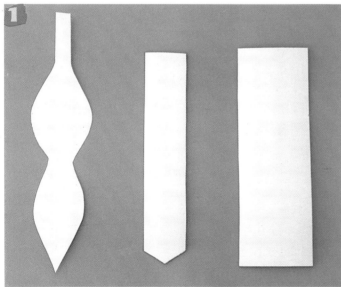

Candelabro y maceta

Materiales

Tubos de papel higiénico
Palo de madera
Pinturas
Cartulina
Pegante

Pinta el tubo con una base del color que desees.

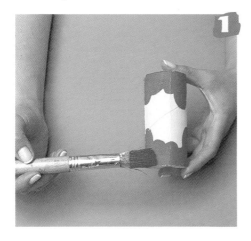

Pinta el palo que vas a colocar.

Recorta la silueta que vas a colocar sobre el palo (puede ser de flores si decides hacer un florero, o llamas si deseas hacer un candelabro).

Pega el palo al tubo de papel higiénico.

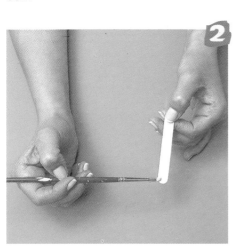

Portalápices

Materiales

Yeso
Agua
Molde
Pintura

Mezcla el yeso con el agua en una vasija.

Revuelve bien con una cuchara hasta lograr una consistencia espesa.

Vierte el yeso en el molde y deja secar.

Desmolda y pinta tu diseño.

Huevos de Pascua

Materiales

Huevos
Pastel óleo de diversos co
lores, crayolas o vinilos.
Alfiler
Vasija
Vinilo diluído en agua

Utiliza el alfiler para abrir un agujero en cada uno de los extremos
del huevo, asegurándote de que
uno de los agujeros sea más grande que el otro.

Con leves golpecitos haz
que salga todo el conteni-
do del huevo por el agu-
jero más grande; lávalo
luego con agua.

Escoge el diseño que vas a
realizaren tu huevo y manos a
la obra. Si lo deseas, puedes
utilizar crayolas, vinilos o marcadores.

57

Halloween

Murciélagos, guirnaldas, bruja, bombonera sorpresa, colombina encantada, fantasmas

Murciélago

Materiales

Caja portahuevos
Pintura
Tijeras
Pinceles

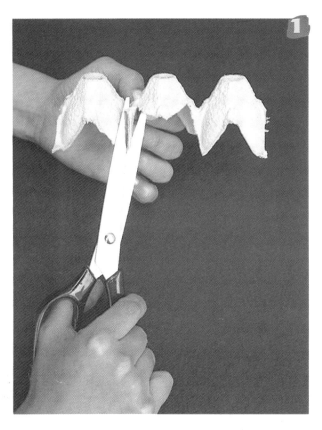

Corta tres copas de la caja portahuevos y recorta las puntas para formar la cabeza del murciélago.

Pinta de color negro la figura.

En la copa del medio, pinta la figura de la cara y colócale un hilo en la parte superior para colgarlo.

59

Guirnaldas

Materiales

Cartulina
Marcador negro
Tijeras
Pegante
Bisturí

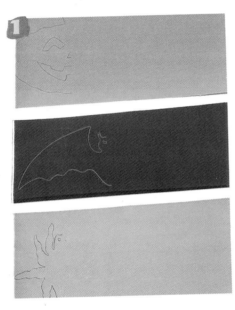

Corta tiras de cartulina del ancho que desees la guirnalda y delinea la mitad del diseño que vas a trabajar.

Dobla la tira, formando un abanico de tal forma que el diseño te quede sobre la primera cara.

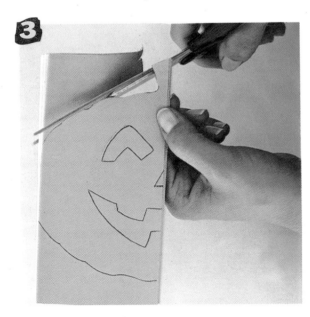

Recorta la figura, delineando sin tocar los puntos de unión del abanico.

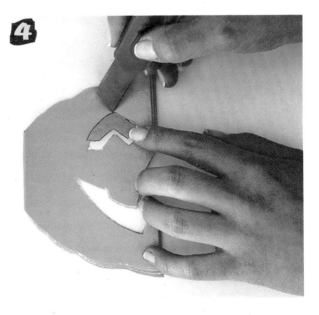

Utiliza bisturí para cortar los espacios interiores.

Bombonera sorpresa

Materiales

Recipiente plástico
Papel celofán rojo y amarillo
Lana
Cartulina
Tijeras
Pegante

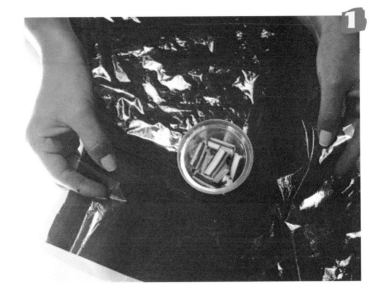

Llena de dulces un recipiente plástico, envuélvelo en dos cuadros de papel celofán rojo y amarillo.

Ajusta el papel con un lazo de lana y recorta la orilla en forma de picos.

En cartulina negra, recorta los ojos, la nariz y la boca de una calabaza y pégalos sobre el papel.

Bruja

Materiales

Esfera de icopor
Cono de cartón
Plastilina rosada
Cartulina negra
Marcador
Papel seda amarillo

Para formar la cara, pinta la esfera con una base de color piel.

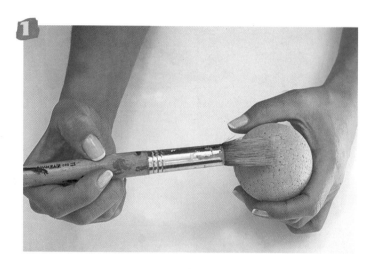

En el papel seda amarillo, corta una circunferencia con flecos y pégala en la cabeza.

Recorta un círculo y hazle un corte desde el centro hasta el borde. Pega los lados formando el sombrero de la bruja

Moldea la nariz con la plastilina y pégala en su lugar.

Utiliza el marcador y los vinilos para pintar el resto de la cara.

En la parte superior de la cabeza, pegale el sombrero.

Recorta un triángulo de papel crepé rojo, recógelo formando pliegues y colócalo como capa con un lazo del mismo color.

Colombina encantada

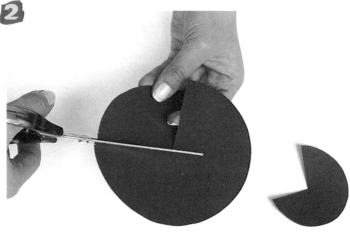

En cada uno de los círculos, realiza un corte en ángulo recto para formar el sombrero y la capa de la bruja.

Sobre la cartulina, dibuja un círculo grande y otro pequeño y recórtalos.

Arma el sombrero con el círculo pequeño y pégalo.

Forra la colombina con el papel crepé rojo y ajústalo con una cinta.

Materiales

Cartulina negra
Papel crepé
Colombina
Tijeras
Pegante

En papel crepé, recorta un círculo que cubra la colombina y haz en todo el borde unos cortes en forma de triángulos.

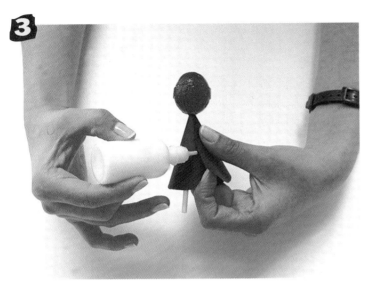

Rodea el palo de la colombina con el círculo más grande. Pega los extremos formando un cono.

Con un pincel delinea la cara de la bruja.

Colócale el sombrero a la bruja aplicándole pegante si es necesario.

Fantasma

Materiales

Caja portahuevos
Servilleta
Pinturas
Pinceles
Pegante

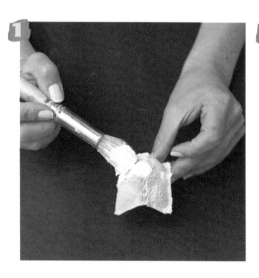

Corta una copa de la caja portahuevos y píntala de blanco.

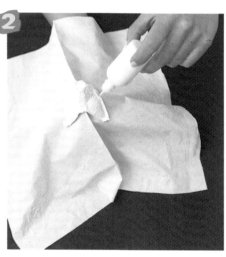

Pega una servilleta en la parte interior de la copa.

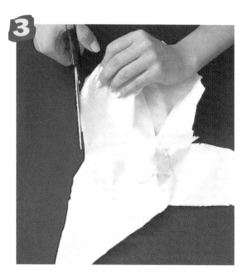

Recorta la servilleta en forma de estrella.

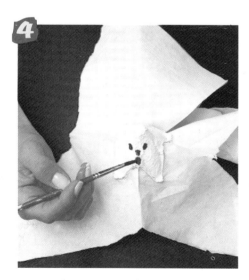

Píntale al fantasma los ojos, la nariz y la boca sobre la copa de la caja portahuevos.

Puedes colocarle un hilo en la parte superior para colgarlo.

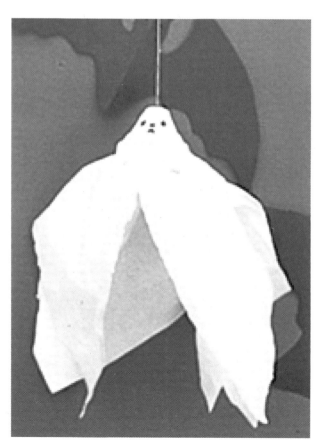

Navidad

Materiales

Cartón grueso
Pintura de verde
Papel seda rojo y azul
Papel dorado
Pegante
Pincel
Tijeras

Árbol

1 Recorta tres siluetas de pino del mismo tamaño. Realiza en cada uno los cortes indicados.

2 Encaja en la silueta de cortes pequeños las otras dos. Una por el corte superior y la otra por el corte inferior.

3 Pega las uniones.

Pinta el árbol de verde.

Realiza bolitas con el papel seda y dorado y pégalas como adornos del árbol.

68

Candelabro

Materiales

Papel seda rojo y verde
Papel dorado
Recipiente plástico
Papel gamuza verde
Plastilina verde
Vela

1 Rasga el papel y pega los pedazos sobre el recipiente plástico.

2 Pega una tira de papel dorado alrededor del borde del recipiente.

3 Corta cuatro hojas en papel gamuza y pégalas en forma de flor.

4 Forma dos bolitas en papel dorado y pégalas en el centro de las hojas.

5 Coloca una poción de plastilina en la parte inferior de la vela y pégala en la parte interior del recipiente.

Tronco navideño

Materiales

Papel periódico
Harina
Gotas de vinagre
Tubo de papel cocina
Papel gamuza rojo y verde
Papel dorado
Pegante
Tijeras
Pincel

Rasga varias hojas de papel periódico y déjalas remojando en agua por algunas horas, escurre el papel y agrega la harina y las gotas de vinagre.

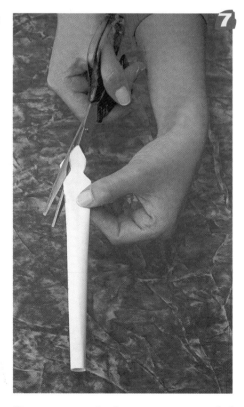

Pega una hoja debajo de cada pétalo.
Realiza bolitas de papel dorado y pégalas en el centro de cada una de las flores.

Realiza las velas, enrollando un pedazo de hoja de papel bond, y pega en los bordes.

Corta uno de los extremos del tubo de papel en forma de llama.

Cubre el tubo de papel de cocina con el papel maché, dándole la forma de un tronco, y deja secar.

Pinta el tronco con vinilo café.

Corta las flores y las hojas navideñas.

Pinta la llama con vinilos azul, rojo y amarillo, y decora la vela pegando el papel dorado en forma espiral.

Coronas:
de dulces

Materiales

Alambre grueso y delgado
Dulces
Lazo de tela

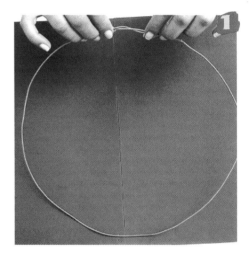

Arma un aro con el alambre grueso.

Amarra pequeñas tiras de alambre delgado en uno de los extremos de cada dulce.

Amarra cada dulce al aro por el alambre.

Rellena todo el aro con dulces y decora con el lazo.

72

de papel

Materiales

Cartulina y papel crepé verde
Papel gamuza verde y rojo
Hilo verde y aguja
Pegante

1

Forma una tira larga de papel
de cartulina verde, dóblala en
forma de abanico y cose sobre
ella una tira de papel crepé.

2

Pega la tira, formando una corona.

3

Forma bolitas de papel dorado y cóselas alrededor de la corona.

4

Realiza un lazo con papel gamuza y decóralo con bolitas de
papel crepé verde.
Pega el lazo en la corona.

Guirnaldas

Materiales

Papel seda rojo y verde
Tijeras
Pegante

Corta tiras de papel seda rojo y verde.

Pega los extremos de cada tira, entrelazando una entre otra y alternando los colores y colócalas en el árbol.

Piñas navideñas

Materiales
Piñas de pino
Pintura verde y roja
Papel dorado
Plastilina
Palillo
Vasija de barro
Pincel

Pinta la piña de color verde y deja secar.

Pinta puntos rojos alrededor de la piña.

Pega la piña con plastilina.
En la parte superior de la piña, coloca una cruz hecha con un palillo y forrada en papel dorado.

Adornos para el árbol

Materiales:

Campanas

Pintura con pegante
Envase plástico
Escarcha

Estrella

Cartulina verde
Palillos
Pintura
Pegante
Tijeras
Pincel

Campanas

Mezcla la pintura con pegante para que se adhiera al envase plástico, y con una brocha pinta el envase.

Derrama pintura blanca sobre el envase.
Esparce escarcha para que brillen las campanas.

Abre un agujero y ponle un hilo para que puedas colgarlo.

Estrella

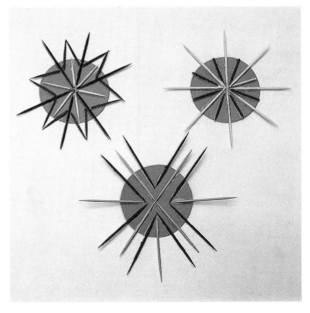

Recorta círculos en cartulina y pega los palillos según el diseño que desees.

Pinta los palillos, combinando los colores.

Coloca un hilo para colgar los adornos.

Materiales

4 palos de madera
Pintura roja, rosada y negra
Marcador negro
Papel silueta verde
Papel gamuza rojo
Pegante
Tijeras
Pinceles

Pinta de rojo los cuatro palos y a uno de ellos ponle rosado en la punta.

Pega uno de los palos en forma horizontal sobre los tres, pinta los extremos de los brazos y pies de color negro. Dibuja las facciones de la cara sobre la parte rosada.

Recorta un triángulo de papel gamuza y pégalo como gorro sobre el palo rosado. Pega algodón en la punta del gorro y en la cara para formar la barba.

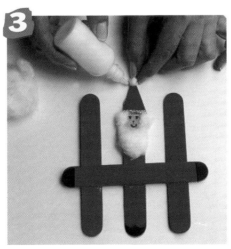

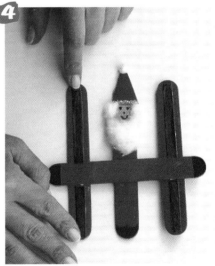

Pega dos tiras de papel silueta verde a lo largo de los palos que están a lado y lado del Papá Noel.

77

Figuritas

Extiende la masa con un rodillo y córtala con los moldes para las galletas.

Con un punzón, realiza un agujero a cada figura e introduce un hilo para poder colgarla.

Materiales

Para la masa

Moldes de galletas
Escarcha
Pegante
Hilo

Masa

Mezcla dos tazas de bicarbonato, 1 taza de almidón, y $1\frac{1}{4}$ de agua fría. Dile a un adulto que cocine la masa hasta que quede compacta. Cúbrela con una tela y deja enfriar. Divide la masa en porciones y añade anilinas de color, y amasa hasta que la pintura se integre.

Decora con escarcha.